AIMÉ CÉSAIRE
NON
À L'HUMILIATION

"Ceux qui ont dit non"
Une collection dirigée par Murielle Szac.

À *Yasmine, ma petite-fille.*

Illustration de couverture : François Roca

Éditorial : Isabelle Péhourticq assistée de Fanny Gauvin
Directeur de création : Kamy Pakdel
Directeur artistique : Guillaume Berga
Maquette : Christelle Grossin
© Actes Sud, 2012, 2015 – 978-2-330-03928-8
Loi 49-956 du 16 juillet 1949 sur les publications destinées à la jeunesse

www.actes-sud-junior.fr
www.ceuxquiontditnon.fr

NIMROD

AIMÉ CÉSAIRE

NON

À L'HUMILIATION

ACTES SUD JUNIOR

Mon nom : offensé ;
mon prénom : humilié ;
mon état : révolté ;
mon âge : l'âge de pierre.
Ma race : la race humaine.
Ma religion : la fraternité.
Et les chiens se taisaient.

L'heure de nous-mêmes a sonné.
Lettre à Maurice Thorez.

1

Mon premier jour de rentrée au lycée fut le plus laid de ma vie. Au-dessus de ma tête, le ciel, une toile cirée. Les nuages bougeaient à peine. Leur quiétude tenait à un fil. Octobre annonçait la saison des cyclones. Je ne percevais pas l'angoisse des gens. La rentrée occupait mes pensées. Maman, toujours à distance, veillait. Denise, ma sœur cadette, voulait m'habiller comme un joli garçon.

J'avais douze ans.

– Mais je suis calme, que me veut-on, à la fin ? me suis-je agacé.

Personne n'a moufté, chacun retenait son souffle. J'ai presque oublié la laideur de Fort-de-France. Nous venions d'y emménager.

– Quelle belle ville ! a dit papa en souriant.

Ce n'était pas vrai, il me provoquait.

Ce matin-là, j'ai poussé le portail du lycée Victor-Schoelcher sans penser à rien. Je n'ai pas remarqué le regard des autres élèves. Mes yeux découvraient un lieu nouveau, lequel ne me plaisait guère. Je l'avais rêvé plus majestueux. Ma tête était bourrée d'images pillées à mes lectures. Aussi le premier lycée de Martinique m'a-t-il si peu impressionné.

Lorsque papa s'y était rendu pour m'inscrire, je l'avais sommairement visité en sa compagnie. Les couloirs étaient vides d'élèves, le personnel administratif était en partie absent. J'ai trouvé quelconque l'établissement dont papa m'avait tant vanté les mérites. Ils ne se voyaient sans doute pas, ces mérites. C'était l'œuvre des profs ; je ne perdais rien à attendre pour juger.

C'est alors que la sonnerie a retenti. On s'est mis en rang. Mes camarades riaient, ils me bousculaient. Je n'aime pas le chahut, mais

comment l'éviter dans une enceinte scolaire ?
Dans quelques minutes, je ne m'en soucierais
plus : on serait à l'intérieur, la paix régnerait.
En fait, on me taquinait, je ne le voyais pas.

Un gosse de Béké[1], un blond au visage de rustaud,
m'a dit :

— Tu fais quoi ici, mon petit ? Tu vas garder nos
cartables ?

— ...

Il a vu à ma réaction que je ne comprenais pas,
et les autres l'ont aussi remarqué.

— Ah, j'en étais sûr : on nous a envoyé un gar-
dien de cartables !

En guise de sourire, une grimace s'est dessinée
sur ses lèvres aux couleurs de pêche. Les autres
ont gloussé. Ils ne pouvaient pas se lâcher, le
prof de français nous avait à l'œil. Le provoca-
teur a ajusté sa veste impeccable sur sa chemise
blanche. La tête droite, en regardant vers notre

---

1. Béké : ce terme désigne dans les Antilles françaises un créole descendant
des premiers colons européens. Ils représentent 1% de la population.

prof, il a glissé tout bas, avec un sang-froid qui m'a suffoqué :

– Garder les cartables, c'est bien, mais encore faut-il porter un pantalon décent. Ce sac de paddy qui t'arrive au genou me fait honte, tu comprends ? On va se cotiser, on t'offrira un pantalon, un vrai.

J'ai cru que mes jambes allaient se dérober sous mon poids. Que m'arrivait-il ? Quelle faute avais-je commise ?

Je n'ai vu que des fils de Békés et de mulâtres autour de moi. Daniel, le galopin qui m'avait agressé, était sans doute le meneur. Il inaugurait les hostilités.

Mon pantalon, mais qu'est-ce qu'il avait mon pantalon ? Il était court, et alors ? Dans ma famille, aux gosses de mon âge, on offrait des pantalons courts, je m'en sentais fier. Ce petit catcheur blond injuriait papa. C'était humiliant pour l'homme que j'admirais le plus au monde. Pendant quelques minutes, j'ai cru que

j'en mourrais. Un troisième larron s'est invité dans ce jeu. Profitant du remue-ménage qu'engendre la circulation entre les travées de tables-bancs, Julien, un mulâtre, m'a glissé à l'oreille :
– T'es sûr que ta place est ici ? Tu veux pas la quitter avant que le prof t'expulse ? C'est un lycée de Blancs, un lycée d'élite...
Voilà, c'était dit, j'étais le Noir de service. D'où leurs attaques. C'était la guerre raciale, la plus prévisible, un sport pratiqué par tous. Je venais, moi, de province où ses effets étaient atténués. J'ai baissé la garde, comme d'habitude ; aussi le coup m'atteint-il avec une rare violence ce matin. Tout s'est enlaidi en moi – autour de moi. Une ville qui vous met à l'index à cause de votre couleur de peau est une ville laide, affreusement laide.
Mes camarades avaient sali les sentiments, une barrière s'est dressée entre nous. J'en étais triste. J'avais honte de leur parler. Par exemple, je ne comprenais pas que Daniel, qui avait l'apparence la plus pure – un "aryen", comme ils

disaient, et sans humour le plus souvent – pût se montrer si bête. J'avais honte pour lui. Il ne respectait pas son apparence. Les méchants, quelquefois, ça se voit. Lui était seulement un grand blond. Il aurait pu être gauche dans ses gestes, mais non, il était con, et ça, c'est plus embêtant... À leur âge, mes copains ne savaient pas encore que les hommes sont des hommes. On n'a pas besoin d'être intelligent – mais être bon, c'est indispensable. Quand on l'est, l'intelligence vient se proposer d'elle-même.

Ces gosses de Blancs et de mulâtres chantaient la force, les plantations, les maisons, le pouvoir. Les mulâtres voulaient en montrer aux Blancs ; la petite bourgeoisie noire paradait devant les premiers et les seconds. Les Noirs blanchissaient leur langage, leurs gestes, leurs manières. Les uns et les autres se disaient Foyalais[2]. Résider dans la capitale, c'était comme adopter une nouvelle race.

2. Foyalais : habitants de Fort-de-France.

Je les voyais, ces bourgeoises noires, dans l'atelier de couture de ma mère. Elles remuaient des épaules, jouaient de leurs seins, de leurs fesses, en prenant un tissu aux motifs d'orchidées, l'essayaient, le redéposaient et demandaient la permission d'en essayer d'autres. Elles ondulaient, frémissaient ; c'étaient toutes des Joséphine de Beauharnais. Alors des formules fusaient, qui étaient des parisianismes, disait-on. C'était d'un ridicule achevé.

Comme ils étaient laids, ces fils à papa, surtout Daniel. Son accueil me ramenait au jour où j'avais débarqué à Fort-de-France – une bourgade innommable, un machin.

La baie de Fort-de-France était belle, certes, mais elle ne me consolait en rien. Une capitale, une vraie, méritait mieux. Je m'attendais à voir des théâtres flamboyants, des avenues splendides, des palaces, des hôtels, des lycées, des bibliothèques... Les maisons étaient du carton-pâte posé sur des cloaques. Il y avait tant de cabanes, tant de cases impropres à l'habitat. Il n'y avait pas de routes, seulement des ruelles pleines de nids-de-poule. Il n'y avait pas de caniveaux, pas d'égouts : l'eau stagnait et puait. Mon œil, en s'élevant vers les hauteurs, butait aux mornes qui portaient bien leur nom. C'était une masse que ni les routes ni les sentiers ne rendaient engageante. Je me suis senti perdu. Hormis la bibliothèque municipale Schoelcher – mon territoire d'élection –, rien ne valait le détour. D'une capitale, il est permis d'espérer la liberté, n'est-il pas ? Je voulais qu'on me fiche la paix. Tous ces petits gros, et les minces, les fragiles, les graciles, était-ce trop demander qu'ils m'épargnent leur "Papa m'a dit, papa fait des affaires, papa possède des usines..." ? Je voulais posséder l'assurance d'être moi-même.

2

C'est la faute à Malraux ! Oui, j'ai nommé le ministre de la Culture du général de Gaulle soi-même ! C'est incroyable ? Oui, incroyable ! À dire vrai, ça ne l'est pas tant que ça. André Malraux était un grand bonhomme. Avec *La Condition humaine*, son roman chinois, il avait révélé ses qualités d'empathie envers les peuples colonisés. Comme Balzac, il croyait à la "République des lettres". Je lui dois le destin politique qui m'a mené jusqu'en Chine...

Racontons tout ça dans l'ordre.

En 1945 ? À la Libération ? Que diable ! dites-vous. Un ministre de la Culture a mieux à faire que de se préoccuper du sort d'un obscur poète.

Je comprends votre indignation. Je n'étais pas le plus mal loti des écrivains. Au contraire. La raison pour laquelle le grand commis de l'État m'a contacté est plus simple qu'il n'y paraît.

André Malraux a été résistant dans les maquis de Dordogne. Comme tous les résistants, c'était un grand communicant. Il lisait tout, il était au courant de tout. Par André Breton, le pape des surréalistes, il m'avait peut-être déjà repéré. J'étais à cette époque-là l'auteur d'un poème qui allait bouleverser la littérature française. C'est du moins ce qu'écriront des critiques en France et dans le monde. En bon insulaire, je l'avais intitulé *Cahier d'un retour au pays natal*. Il avait été publié dans une revue quasi confidentielle, à la veille de la Seconde Guerre mondiale, en 1939. Il fallait être mordu de littérature pour rencontrer mon nom. En cette même année 1939, au mois d'août, j'ai regagné mon île, avec femme et enfants, mon agrégation en poche. Deux ans plus tard, dans les tout premiers mois de 1941, alors que la Martinique organisait clandestinement sa résistance, j'ai créé grâce à l'assistance de Suzanne Roussy, ma femme, de Georges Gratiant, d'Aristide Maugée et de René Ménil la revue *Tropiques*. C'est Suzanne qui me fera rencontrer André Breton à Fort-de-France, car j'avais republié le *Cahier d'un retour au pays natal* dans ses pages. Il le lira, mon grand poème nègre, il sera chamboulé ! Plus tard, il me qualifiera de "poète surréaliste". Il écrira que j'étais le plus grand poète français vivant. Des jugements aussi définitifs, c'est André Breton tout craché ! J'en étais flatté, je l'avoue. La minuscule Martinique brillait au firmament des belles-lettres.

Ah, je vois votre inquiétude. Vous ne vous expliquez pas la présence d'André Breton à Fort-de-France en avril 1941. Eh bien, le grand poète se trouvait à bord du dernier bateau en provenance de Marseille, le *Capitaine Paul Lemerle*. Sa destination était New York.

En avril 1941, Marseille était la dernière zone libre française que les Allemands allaient bientôt occuper. Parmi ces futurs exilés se trouvaient des cinéastes allemands, des philosophes, des poètes, des romanciers. André Breton côtoyait entre autres Claude Lévi-Strauss et le peintre cubain Wifredo Lam. Ce beau monde qui s'éloignait de l'Europe a fait escale en Martinique. Or ma belle île était sous la coupe du régime vichyssois de l'amiral Georges Robert. C'est la raison pour laquelle le navire a été arrêté dans sa course vers New York. Ses occupants ont été placés en résidence surveillée au large de Fort-de-France, sur l'île de Lazaret. Ils pouvaient s'en échapper pour quelques heures de liberté à Fort-de-France. André Breton ne s'en est pas privé.

Dès son arrivée à New York, il me consacre un grand article. Entre-temps, la Martinique change de régime et se rallie à la France libre. Son nouveau gouverneur, en 1945, me convoque. Il me fait remettre une lettre d'André Malraux. J'y apprends qu'une mission culturelle de six mois m'est confiée, qui me demande, avec toutes les formules de politesse d'usage, de me rendre à Haïti. Quel honneur, je n'en reviens pas ! Fouler enfin la terre haïtienne si essentielle à mon cœur. C'était comme si le ministre du général de Gaulle lisait dans mes pensées. En fait, il avait cru en mon amour pour Haïti : le *Cahier d'un retour au pays natal* en témoigne abondamment. Malraux en était tombé lui aussi amoureux.

J'ai demandé ma mise en disponibilité du lycée Schoelcher sur-le-champ. J'y enseignais depuis six ans dans une classe de khâgne. Cette formalité expédiée, j'ai aussitôt embarqué.

Le soleil brille sur une mer d'huile. L'horizon est féerique. Au large de la Guadeloupe, c'est la même beauté sans tapage. Mon bateau met moins de vingt-quatre heures à aborder la rade de Port-au-Prince.

Et alors ? demandez-vous, impatients.

J'ai été bouleversé, je ne peux pas mieux dire !

Nul ne peut imaginer le nombre d'heures que j'ai passées dans ma vie à rêver sur les cartes d'Haïti. Je n'en avais pas qu'une. Lorsque je voulais me représenter le climat, je déployais celle qui lui correspondait. Pour les courants marins, j'en déroulais une autre.

Je vous ai gardé le meilleur pour la fin. C'est une carte d'Haïti tout à fait spéciale, elle date du temps de Toussaint Louverture. Vous ne connaissez pas plus ce nom que le mien. Le bien nommé Toussaint Louverture était un ancien esclave qui, au XVIIIe siècle, avait réussi à s'affranchir à force de travail et de volonté. Ils étaient rares, de tels esclaves, l'acquisition de leur libération était quasi impossible. Toussaint Louverture n'était pas un métis. C'était un moricaud. Les colons ne les aimaient pas beaucoup, les moricauds. Il n'empêche : Toussaint Louverture a tout de même réussi à devenir un "homme libre de couleur". Il s'installera d'abord comme commerçant, avec des terres, des plantations et des esclaves, bien entendu. Plus tard, il entrera dans l'armée et accédera au grade de général.

En 1793, à la suite d'une mutinerie d'esclaves qu'il parvient à pacifier, il profite de sa victoire pour abolir l'esclavage. Napoléon Bonaparte est furieux. Il envoie son armée pour arrêter le rebelle Toussaint Louverture et faire rétablir l'esclavage. Le grand libérateur écrase l'armée napoléonienne. C'est l'acte fondateur de l'indépendance haïtienne proclamée en 1804. Haïti ne sera plus recolonisée par la France. Elle était "la perle de ses colonies". Elle était également la première productrice mondiale de sucre, de café et de cacao.

Dans la rade de Port-au-Prince, je rêve de cette grandeur passée. Du large, mes yeux embrassent sa baie. Je me prends pour Christophe Colomb lorsqu'il l'a découverte il y a cinq siècles. Aucun paysage ne vaut cette portion d'eau et de sel. Un golfe gigantesque borde l'horizon. L'air y est limpide. En arrière-plan, la montagne se découpe en bleu indigo. Le bateau tangue gentiment. Ce sont d'infimes variations inscrites sur le fil de l'eau. J'aime cette sérénité. Elle m'indique ce que je trouverai à mon débarquement.

Haïti est une terre surpeuplée. Les couleurs qui dansent devant moi se dilueront lorsque je les atteindrai. Il faudra les chercher dans le jardin de quelques privilégiés, ceux des grands Blancs, des ministres et des notaires. J'embrasserai la peinture haïtienne, ses orchidées, ses hibiscus, ses jacarandas... Le peintre haïtien est un enchanteur. Il dessine Haïti dans son jardin d'Éden. Aucun oiseau ne manque à l'appel de son pinceau. Le colibri salue un perroquet majestueux. Une mangue opulente répond à un ananas de belle coupe. La soif et la faim n'arrêtent ni ne brident la peinture de ce pays. J'ai toujours pensé que c'était pour ses peintres qu'André Malraux m'avait envoyé là-bas. De ses artistes, il était fou. Il disait : "Les peintres haïtiens m'ont aidé à croire en mon *Musée imaginaire*, cette tentative un peu folle d'écrire sur le patrimoine artistique mondial." Et il ajoutait : "De tous les peintres du monde, les Haïtiens seuls ont su montrer que le temps était notre principale demeure. C'est dans leurs œuvres que j'aimerais être enterré."

3

Cet après-midi-là, je monte à la tribune pour rendre compte de ma mission. J'étais parti à Port-au-Prince comme un poète-enseignant. J'en suis revenu comme un conférencier. On se presse pour m'écouter. J'ai l'impression de m'être toujours adressé à des foules. Cela procure des sensations plus grisantes que l'enseignement. J'avais un zézaiement au début de mon voyage, je l'ai perdu à New York. Là, j'ai fait une escale pour de nouveaux discours. Je rentre dans mon île comme un poète sûr de sa diction.

J'ai remis au gouverneur mon rapport. Il lui appartient de le transmettre à André Malraux. En attendant, j'en fais profiter les Martiniquais.

Les journaux ont publié de grands papiers sur mes causeries haïtiennes. Tout le monde connaît leur succès. Les communistes (qui forment le premier parti de France) m'adoptent sur-le-champ. Je partage nombre de leurs idées. Je suis maintenant une personnalité à l'égale des hommes politiques les plus en vue. Suzanne, ma femme, m'a prié d'y aller.

– Tu vois, me dit-elle, tu es un enfant du peuple, tu es poète, tu es l'espoir de ces gens qui savent à peine parler français. Tu les venges de l'ignorance où l'esclavage les a tenus.

Suzanne, c'est ma science, ma sonde, mon ancrage dans le monde. Je ne comprends pas vraiment ce qu'elle me suggère, mais je lui obéis. C'est le cercle du Parti communiste français qui nous a prêté les lieux. La salle est comble ; je me lance.

"Foyalaises, Foyalais, mes chers compatriotes ! J'ai été absent pendant six mois de chez nous. Je n'étais pas parti bien loin. Haïti, c'est juste l'île d'à côté. Nous partageons le même passé, la même origine, et le même océan nous baigne. Avant ce voyage, j'ignorais que les plages haïtiennes avaient la blondeur qui apaise. Là-bas, le vert des eaux tempère l'infini. La beauté est plus douce, là-bas, mes sœurs, mes frères... La faim y est plus douce aussi. Ainsi que l'amour, ainsi que la grandeur... Non, je ne suis pas devenu fou, je ne vous conte pas des bobards !

Ô peuple guetté du plus haut mirador
et défiant du bâton des aveugles
le nom natal de l'injustice énorme
Je t'ai inscrit une fois
au centre du paysage sur un fond de cannaie
debout au milieu de la glèbe de nos yeux
agrandis et d'une sorte semblable
à la face d'or noire et haïtienne
d'un dieu

Les Haïtiens ont été maltraités par l'histoire française et l'histoire américaine. Ils en ont tiré une sagesse empreinte de dignité. La douleur africaine, là-bas, elle ne fait pas de chichis. Le créole haïtien, je l'ai trouvé tendre et rugueux, je l'ai trouvé savoureux ! Il m'a permis de redécouvrir le nôtre.

Dans les rues, je suivais les femmes, les enfants, les éclopés. Une fois, j'ai suivi une mulâtresse. Elle avait un cou de girafe et un port de tête de princesse peule. Elle avait des yeux bleu-vert. Elle s'est retournée à deux reprises, elle a souri à ma petite taille qui se goinfrait de sa beauté. Elle se disait sans doute : « J'aime cet Africain ! » C'était aussi ce que je ressentais pour elle.

Mes chers compatriotes, le modèle de notre libération nous est venu de la grande île. Son histoire est aussi la nôtre. La Martinique est la fille aînée d'Haïti.

un doute est mien qui tremble
d'entendre dans la jungle des fleurs

un rêve se frayer
Maître marronneur des clartés
aurons-nous la force de hisser ce printemps
jusqu'au sein où attendent dormants les climats
féconds nos membres purs

nos ciels impatients
alizés ou autans
réveillez-vous nos races mortes"

Ce poème improvisé, je n'ai pu l'achever. Un hourra pareil à une lame de fond est monté du milieu du public, qui m'a emporté. L'on y entendait les profondeurs du ciel et les entrailles océaniques.

La foule a conclu ma conférence à sa manière. Les Foyalais me rappelaient qu'ils étaient faits d'eau et de sel, de soleil et de vent. C'étaient des geysers – des Caribéens. Je comprenais enfin ce que voulait dire ma femme : ils avaient trouvé leur père ! Moi, j'ai eu la certitude d'en avoir un, de père, dès la naissance. Je viens encore de le vérifier. Je me voyais en père de tous ces gens, je n'en étais pas effrayé. Curieuse manière de devenir soi-même qui a été favorisée par deux Blancs, André Breton et André Malraux. Ce n'étaient pas des Békés, même s'ils appartenaient à la race de ceux qui nous ont toujours dominés.

Alors je me suis souvenu de Daniel à mon entrée en sixième. C'était un bon bougre, il aurait pu être là cet après-midi. Toute la Martinique était rassemblée dans cette salle. Je me suis aussi rappelé mes six années passées à Paris. Mon parcours se redessinait. Il témoignait de la lutte pour le respect de l'homme noir, le mouvement de la négritude. La marée humaine traduisait une faim et une soif de reconnaissance mutuelle. Étaient présents mes anciens élèves, l'équipe de la revue *Tropiques*, des sympathisants, des curieux, des marchandes illettrées et des communistes. L'amitié nous reliait.

J'ai serré des mains, j'ai donné des accolades et encore des accolades. Je n'étais plus qu'une boule d'émotion. J'ai cru que je n'en redescendrais plus. J'avais bien peur, je l'avoue.

4

Je me suis réveillé le lendemain dans le même état d'euphorie. J'ai écrit un poème, puis un autre. Je me suis senti Africain, je me suis senti Haïtien, je me suis senti Martiniquais. C'était comme si je courais toujours après la mulâtresse de Port-au-Prince. Suivre cette femme, c'était défaire l'amertume qui noie mon peuple. J'étais un amoureux qui va son chemin le cœur battant.

En fin d'après-midi, trois membres du Parti communiste – section martiniquaise – sont venus me voir. Eux non plus n'étaient pas redescendus de la vague d'hier. Ils respiraient la joie.

– Ô camarades ! leur ai-je lancé en guise de plaisanterie.

– Grand camarade ! m'ont-ils répondu sur le même ton.

On a ri, on s'est embrassés.

Dans l'équipe de *Tropiques*, René Ménil était un communiste de toujours. Il faisait partie de la délégation. Peut-être la conduisait-il ? En tout cas, rien ne le laissait supposer. René Ménil était un camarade d'André Breton. Je l'aimais bien.

Après les échanges d'usage, ils sont entrés dans le vif du sujet.

– Tu sais, Aimé, ce sont bientôt les municipales. Nous cherchons une tête de liste, nous avons pensé à toi, a conclu René.

– Ne t'en effraie pas, a dit Achille, un autre membre de la délégation. Aux dernières municipales, on a eu trois cents voix. Ton élection n'est donc pas assurée. Ce qui compte, c'est le geste. Hier, nous avons compris que tu accomplirais à la perfection notre projet.

Et, pour prévenir mon objection, il s'est empressé de dire :

– Tu n'es pas communiste, c'est ce que tu allais me dire, n'est-ce pas ? Pour nous aussi c'est la raison qui rend ta candidature indispensable.

– Vois-tu, a ajouté René Ménil, les camarades savent parler à nos valeureux ouvriers agricoles. C'est même caricatural parfois. Ils débitent des formules du catéchisme rouge, et l'on s'en satisfait. À voir leurs yeux vitreux, un bon observateur saisit qu'ils sont plutôt assommés que conquis. Hier, tu as fait sonner une voix à laquelle personne ne s'attendait. Des analphabètes de toutes les conditions – hommes, femmes, enfants –, ainsi que les étudiants, les écrivains, les fonctionnaires, les curieux – aimantés seulement par ton nom – étaient là, sans exception, pour entendre la langue française. Oui, parfaitement, *la langue française* ! Les camarades et moi étions chavirés ! À l'évidence, tu ne débitais pas n'importe quoi – loin s'en faut –, mais, en dépit de ton succès, nos questions sont restées entières. Que pouvait bien comprendre une paysanne à tes métaphores surréalistes ? *A priori*, rien. Or tu as entendu cette femme hier, une vendeuse des quatre-saisons. Elle a crié : "C'est Aimé qui parle, c'est la grammaire française !" Ô l'analphabète ! Quel génie a bien pu lui souffler cette formule ? J'étais conquis, en même temps, j'étais effrayé. Pour une native du créole, c'était sensationnel ! Grâces lui soient rendues. Elle m'a aidé à trouver le slogan de ta campagne. Ne fais pas cette tête, écoute d'abord, tu commenteras ensuite : *Votez pour Aimé Césaire ! Votez pour la grammaire !*

Piqué au vif, séduit autant que chamboulé, j'ai répliqué du tac au tac :

– Malheureux ! Tu ne vois pas que nous délirons ? La politique, c'est pas un poème !

– Oh que si ! Tu viens de le prouver.

– Elle est tout de même courte, ton idée. Il faut la revoir.

– Jamais ! a asséné René. Jamais, tu m'entends ? On peut revenir sur tout, sauf sur cette formule. Elle vient du peuple.

– Non, elle vient de mon père, si tu tiens à le savoir ! ai-je rectifié dans un grand éclat de rire. C'est lui qui, en m'entendant sur les ondes d'une radio, a dit un jour : "Lorsque Aimé parle, la grammaire sourit !" Je ne savais pas que cette anecdote était connue des gens. Je n'en reviens pas.

– Tu confirmes ton ancrage populaire, ami. Nous marcherons dans la phrase paternelle.

– Attendez ! Je ne vous ai pas dit que j'acceptais ! J'ai besoin de réfléchir...

– Tu as tout ton temps ! ont dit les trois délégués en chœur.

– Vous êtes sérieux ? ai-je demandé, inquiet tout à coup de leur petit air conspirateur.

– Et comment ! ont-ils répondu.

– Vous avez vu l'état des lieux ? ai-je dit. Le maire sortant, Victor Sévère (plus de quarante ans à ce poste) et ses soutiens, les Békés, un sacré morceau. Il y a aussi Joseph Lagrosillière qui veut se refaire une virginité en briguant la mairie de

Fort-de-France. Président du Conseil général pendant presque un demi-siècle, ce socialiste, bien que compromis avec le maréchal Pétain, représente un adversaire redoutable.

– Camarades, a dit René Ménil en se levant, il comprend tout, Aimé, et puis il comprend vite. Il a cerné la situation en deux phrases !

– Ce sont plus de deux phrases que j'ai prononcées, René ! ai-je plaisanté.

– Je suis d'accord ! a-t-il renchéri. Alors tu dois y aller, tu n'as pas le choix. Je te rappelle que le Parti communiste est maintenant le premier parti de France. Tout peut arriver, même en Martinique.

Il s'est arrêté, m'a regardé en souriant, puis a dit :

– Camarades, retirons-nous. Il est temps de laisser le poète délibérer.

Ils m'ont embrassé, ils sont partis.

Leur enthousiasme, lui, a flotté dans la pièce bien plus longtemps.

5

La date du 27 mai 1945 fut la plus heureuse de ma vie. Du jour au lendemain, je suis devenu maire de Fort-de-France. Mon élection aux législatives de novembre en a découlé. À cette différence près que c'étaient tous les Martiniquais qui, en fanfare, me proclamaient député. Le plus effarant, c'est que je n'étais en rien préparé pour assumer ces fonctions. Professeur j'étais, professeur je suis demeuré.

À Basse-Pointe (ma région natale), à Macouba, au Saint-Esprit, au Lamentin, au Morne-Rouge et à Fort-de-France, ce fut un raz-de-marée. La campagne s'était déroulée comme René Ménil l'avait prédit. Lorsque nos adversaires de droite

– et les socialistes – moquaient les marchandes des quatre-saisons, les vendeuses de poissons, ainsi que les ouvriers agricoles, en faisant valoir mon ignorance des arcanes politiques, ils leur répondaient : "Nous allons voter pour la grammaire !" Puis ils ajoutaient : "Vive de Gaulle, vive Césaire !"

C'était stupéfiant ! Leur réaction me révélait que la parole poétique était un outil de transformation sociale. Ce fut la leçon de ma vie. Ainsi, lorsqu'il m'a fallu aller à Paris pour siéger au Palais-Bourbon, j'ai demandé à Pierre Aliker et Georges Gratiant – mes adjoints à la mairie – d'œuvrer pour le renouveau culturel martiniquais. Je leur ai demandé de bâtir des programmes où s'épanouiraient les analphabètes, les ouvriers mal qualifiés, les cadres... Je ne voulais pas laisser mourir la flamme du 27 mai. Désormais je combattrais la frustration sous toutes ses formes. À dire vrai, mes nouvelles responsabilités étaient surhumaines. Je m'en suis rendu compte peu à peu. Contre toute attente, cette prise de conscience s'est illustrée comme une marche résolue vers l'humiliation.

6

La ville crasseuse de mon adolescence, me voilà devenu son maire. Si par quelque rue une voyante m'avait pris la main pour y lire cet événement, je lui aurais dit : "Je suis naïf, mais pas à ce point !" Moi, Aimé Césaire, je ne croyais pas plus aux lignes de la main qu'au destin imposé par les dieux. Mais les faits sont là : je suis bel et bien maire de Fort-de-France !

En ce mois de novembre parisien, je dois élever la Martinique et la Guadeloupe au rang de départements français d'outre-mer. Avec la Libération, l'indépendance des pays dominés est dans l'air du temps. Je rêve moi aussi d'indépendance, mais le souvenir de mon voyage en Haïti freine mon enthousiasme. J'éviterai donc d'entraîner les miens dans le malheur. La départementalisation en est le moyen. À cette fin, je ferai adopter par l'Assemblée nationale un texte de loi. Mon adjoint Pierre Aliker – qui est médecin – et une équipe de Martiniquais très compétents m'ont préparé le dossier. Appuyé par le groupe de députés communistes, ma tâche est de convaincre le gouvernement. L'accession de la Martinique au statut de département est soumise à sa volonté d'assimiler l'île à la France. J'en suis révolté !

La Martinique est française depuis plus de trois siècles et demi. À ce titre, elle est plus française que la Corse, et encore plus française que la Savoie. Qu'aurions-nous à prouver de plus que les Corses ou les Savoyards ? Et que dire de l'Alsace, que dire du pays lorrain ? Que dire de la Bretagne ? Nous sommes une île des Caraïbes et nous sommes la France ! Notre identité n'est pas un combat contre la France : elle est son extension hors de l'Hexagone. Oui, que nous veut-on ? Quelle identité française une et indivisible nous impose-t-on ?

J'ai l'impression de revenir à mes chères études parisiennes. Au Quartier latin, au milieu des années 1930, avec deux amis – le Sénégalais Léopold Sédar Senghor et le Guyanais Léon Gontran Damas –, nous avions lancé le mouvement de la négritude. On affirmait être à la fois africains, créoles, antillais et français. Cette diversité d'appartenances était la richesse à laquelle nous tenions le plus au monde. Me voilà contraint de le redire plus de dix ans plus tard à la tribune de l'Assemblée nationale. Notre révolution, je le vois, n'était pas remontée jusqu'au cercle des députés français. Ils ne comprenaient rien à rien de ce que j'exposais. Ils ne voulaient surtout pas comprendre. Les Martiniquais, un peuple de canne à sucre, de papaye et de banane, ont inventé sur plus de trois siècles une langue et des traditions littéraires et artistiques diverses et variées. C'est ainsi qu'ils ont survécu à l'inhumanité de l'esclavage. Cet héritage colossal, et qui mérite le respect le plus absolu, voilà qu'on me demandait de le renier pour une bouchée de pain !

Oui, parfaitement ! La France me demandait de vendre l'âme martiniquaise. Je voulais la départementalisation, et rien d'autre. Elle représentait la voie de sortie du statut colonial. Comme pour toute colonie, c'était Paris qui ordonnait notre éducation, notre santé, notre évolution sociale, bref, notre destin. Nous étions infantilisés, nous ne décidions pas de nous-mêmes. La départementalisation était notre émancipation. J'aime beaucoup ce mot. En latin, il signifie : *se prendre en main*. Toute notre histoire y est condensée.

Je suis monté à la tribune pour présenter la proposition de lois afférentes.

"Messieurs les députés,

Monsieur le ministre des Colonies,

Entendez-vous ces craquements qui viennent du lointain ? C'est l'Empire qui s'effrite. Je ne vous parle pas en prophète, l'Assemblée nationale n'est pas un aréopage de devins. Je sollicite vos suffrages pour l'inscription des quatre vieilles colonies[3] au registre des départements français. Il était temps. La liberté n'est-elle pas notre passion ? Cet acte élèvera la France à la hauteur de la Révolution de 1789. Le monde qui a succédé à la Seconde Guerre mondiale résonne de mouvements de dissidence de toutes sortes. Nous n'en sommes pas, la loyauté aux idéaux républicains dicte notre conduite. Les quatre vieilles colonies sont la France. Depuis 1635, les quatre vieilles colonies travaillent au destin de la métropole. Nous leur devons le sucre et le chocolat, la banane et l'ananas, le safran et la cannelle, la vanille et le muscat. Elles ont trimé,

---

3. La Martinique, la Guadeloupe, la Guyane et la Réunion sont ainsi appelées parce qu'elles sont, avant tous les autres territoires, les premières conquêtes historiques françaises.

elles se sont crevées pour faire de nous la nation la plus gourmande du monde. Pendant longtemps, les seuls titres de gloire dont elles se prévalurent furent leurs chaînes d'esclaves. Même libérées, même affranchies depuis bientôt cent ans, elles se montrent bien fatiguées.

C'est dire l'urgence qui pèse sur nos épaules de parlementaires en cet instant. Les travailleurs de la Martinique et des Antilles attendent depuis trois siècles, ils sont à la limite de la souffrance : agissez promptement, il en va du prestige de la France."

7

La loi fut votée. Vous ne me croirez peut-être pas, c'était une coquille vide. Je m'étais battu pour rien. Mes collègues du Palais-Bourbon – les communistes, les socialistes, ainsi que le gouvernement – me reprochaient d'avoir fait un usage inconsidéré du terme autonomie. Ils l'ont juré : "L'autonomie martiniquaise ? Non, jamais !" Pour eux, j'avais insulté l'esprit de la Constitution.

Cet incident m'a permis de mesurer l'écart qui sépare un poète des autres gens. Ai-je été trop audacieux ? Ai-je aggravé mon cas, comme on dit ? Pour l'heure, je vous invite à lire le poème qui suit. Écoutez le poids des syllabes, écoutez le malheur.

FERREMENTS

tiens-moi bien fort aux épaules aux reins
esclaves
c'est son hennissement tiède l'écume
l'eau des criques boueuse et cette douleur puis rien
où nous deux dans le flanc de la nuit gluante
aujourd'hui comme jadis
esclaves arrimés de cœurs lourds
tout de même ma chère tout de même nous cinglons
à peine un peu moins écœurés aux tangages

Vous n'y comprenez rien ? Ce n'est pas grave... Supposez que vous soyez comme moi un parlementaire. Lors de la discussion de la loi pour la départementalisation, vous m'avez combattu. Votre but est des plus nobles : maintenir sans tache l'unité française. Les mots vous donnent raison. Pourtant, si vous regardiez la France telle qu'elle est, vous verriez sur ses frontières une autre France. Elle est un peu allemande, un peu italienne, un peu espagnole ou basque,

un peu celtique ou bretonne ou anglaise. D'ail-
leurs, votre femme (ou votre mère) est d'origine
alsacienne. Vous savourez son accent à la maison, cela ne vous empêche pas de défendre à
la tribune de l'Assemblée nationale une France
unicolore et sans accent. C'est la raison pour
laquelle dans mon poème je soutiens que les
mots nous font *tanguer* souvent. Les mots sont
l'ensemble des océans du monde. Ils sont pleins
de vagues ; ils nagent vers plus d'une direction
à la fois. Les mots sont comme les humains :
contradictoires et changeants. L'unité française
est plurielle. Elle a inscrit au fronton de ses édi-
fices "Liberté, Égalité, Fraternité", mais elle pra-
tique aussi l'esclavage.

Nous, Martiniquais, nous sommes en grande
partie des Africains arrachés à leur continent.
Au début, nous n'étions même pas considérés
comme des hommes. La France avait besoin
de personnes qu'elle exploiterait comme des
bêtes de somme. La valorisation de ses terres

outre-mer le nécessitait. Cette condition ne nous a pas empêchés d'exprimer notre humanité. On se révoltait – avec violence quelquefois –, on s'évadait dans les montagnes et les forêts. Ainsi obligions-nous les propriétaires d'esclaves à nous regarder comme des humains. À la fin, nous sommes devenus la *France d'outre-mer*. Mais nos anciens maîtres, en accord avec le gouvernement, achoppent sur la revendication d'autonomie.

Avec l'inscription de la Martinique comme département français, j'ai demandé que cent écoles soient construites pour la rentrée prochaine. Que le port de Fort-de-France soit rénové, que des aérodromes soient bâtis, que des routes soient percées le long de notre île, que des égouts soient creusés dans le ventre de nos villes... En Martinique, à la Guyane, en Guadeloupe, à la Réunion respirent, soupirent, rêvent des Français d'une autre couleur de peau. Vous ferai-je l'insulte de vous dire qu'ils sont aussi vos compatriotes ? Eux aussi produisent du sens et des envies. Il est temps de leur appliquer les droits qui reviennent à tous les Français. Ils ne sont pas condamnés à accomplir les devoirs tandis que l'Hexagone jouit égoïstement de la sécurité sociale, des salaires et des logements décents. Ils veulent des hôpitaux dignes de ce nom.

J'ai beau faire, pour le gouvernement, je ne suis qu'un esclave un peu plus évolué que les autres. Je ne suis pas tout à fait un humain puisque l'injustice que je subis ne compte pas. Je ne suis pas un Français à part entière. Je leur sers d'alibi. À l'Assemblée nationale tout comme au Parti communiste français...

8

– Camarade Thorez, quelle surprise de me recevoir ! J'ai fait ma demande d'audience à l'arraché, je n'y comptais pas...

– Camarade Césaire, il n'y a pas qu'au Palais-Bourbon qu'on parle de vous. Au siège du PCF, au journal *L'Humanité*, les camarades se félicitent de votre loi. L'Histoire a fait un grand bond en avant.

– Ah, vous croyez ?

– Assurément, camarade. Les forces réactionnaires plient toujours devant les justes causes...

– ... qui sont en souffrance depuis trois siècles !

– Tout arrive à celui qui sait attendre.

– Camarade secrétaire général, détrompez-vous. Le gouvernement refuse d'accorder les subventions qui reviennent de droit à ma ville et à mon pays. Tous les projets de la Martinique sont au point mort. Nous ne pouvons emprunter pour construire les écoles, les égouts, les hôpitaux, qui sont des priorités absolues. Fort-de-France ne perçoit même pas les taxes des entreprises qui s'y sont installées. Le gouvernement les rapatrie, ou bien il leur en fait cadeau. C'est la politique des intérêts bien compris, ce sont des investissements électoraux. Permettez-moi de le dire, on casse du sucre sur le dos du peuple ! Je n'ai plus le choix, je demanderai aux Foyalais de contribuer à un relèvement substantiel des taxes d'habitation, j'inventerai de nouveaux impôts.

– Malheureux ! Vous voulez vous suicider, Césaire ? Comment espérez-vous vous faire réélire ? En saignant ce peuple qui vous a fait triompher des capitalistes locaux ?

– C'est mon peuple, camarade, il comprendra. Quant aux discours, il en a soupé !

– Mais camarade Césaire, vous ne connaissez rien à la politique !

– C'est exact ! Mais le cœur de mon peuple, personne ne le connaît mieux que moi.

– Soit. Je me permets une petite remarque. Le cœur du peuple appartient au PCF, tout comme le vôtre. Vous vous en saisissez de façon peu... communiste. C'est au Parti de décider, vous n'avez rien à dire !

– C'est un peu fort de café, camarade Thorez ! La Martinique autonome, le gouvernement n'en veut pas. Il la trouve trop africaine, trop machin – en tout cas, trop peu française à son goût. Et vous, vous confisquez mon peuple tout en vous montrant hostile à son identité. C'est un peuple forgé par l'esclavage et la spoliation, camarade. On ne construit pas l'avenir avec les Martiniquais comme on le ferait avec les habitants du département de la Seine.

L'incompréhension gouvernementale, ainsi que la vôtre, camarade secrétaire général, me sont intolérables.

– Monsieur Césaire, je vous demande de sortir de ce bureau. Vous raisonnez comme un petit-bourgeois. Reprenez vos esprits et nous en rediscuterons plus calmement.

– À la bonne heure !

– Oui, à la bonne heure et, surtout, souvenez-vous de notre règle d'or : la soumission inconditionnelle au Parti.

Je suis resté pantois devant cette phrase. L'ai-je vraiment entendue ? Ne gambergeais-je pas dans ma tête ? C'est à ce moment que Maurice Thorez l'a répétée sous une forme assez voisine.

– Le Parti a la solution – toutes les solutions.

À ces mots, je l'ai trouvé minable – petit et minable. C'était un homme d'appareil, rien de plus. Je comprenais à présent qu'il se soit planqué à Moscou pendant la guerre. Il ne savait rien des masses laborieuses – c'est par phases et phrases qu'il les abordait.

Le cœur en miettes, je l'ai regardé encore un moment, j'ai reculé jusqu'à la porte, je l'ai refermée lentement.

Dans le couloir glacial du sixième étage, je me suis demandé soudain : Aimé, que fais-tu en ces lieux ?

9

J'ai mis dix ans avant de démissionner du PCF. Je m'engueulais souvent avec ses responsables. Et avec le gouvernement, ce n'était guère mieux. Pour les uns et les autres, j'étais un individu dangereux. Je n'allais tout de même pas la fermer. On ne bâillonne pas un poète, ils sont assez cultivés pour le savoir.

J'errais comme une âme en peine dans les travées de l'Assemblée nationale. Je n'y intervenais quasiment plus. Mes confrères m'évitaient, à l'exception de Senghor et de quelques autres dont le nombre avoisinait à peine dix. La guéguerre des méchants a fait de moi le nègre fondamental. J'en ai tellement bavé pour me payer le luxe de le revendiquer.

Ce lundi 23 octobre 1956, je me rends au Parti communiste français pour donner ma démission. Maurice Thorez m'attend. Je veux marquer le coup. De toute façon, j'ai déjà envoyé ma lettre aux médias, notamment au *Nouvel Observateur*. On me dira traître ; autant assumer les désagréments tout de suite.

Maurice Thorez et moi, nous nous apprécions moyennement. Dans ma lettre, je ne mâche pas mes mots à son égard – et le Parti n'est pas épargné. Je redoute les tensions, j'ai peur que ma réaction dégénère lorsque je serai en face de lui. Alors je t'ai appelé, mon cher Alioune Diop.

– Allô, Alioune ? Pourrais-tu m'accompagner avenue Romain-Rolland ? C'est pour le motif que tu sais.

– Évidemment, Aimé, j'arrive.

– Chouette, c'est formidable !

Alioune Diop est le directeur de la maison d'édition et de la revue *Présence africaine*. C'est

un homme de toute confiance. Il est mon édi-
teur ; je dirige à ses côtés plusieurs collections.
Je ne peux me passer de lui.

– Tu te souviens du retard avec lequel nous
sommes arrivés au siège du Parti ? Maurice
Thorez était furieux, il y avait de quoi ! souligna
Alioune.

Il souriait du haut de sa taille de géant.

Puis j'ai enchaîné :

– Moi qui venais lui dire *bye-bye*, je me payais
le luxe de pointer en retard ! L'un et l'autre, on
s'est contrôlés. C'est parce que tu étais là. On
ne s'aimait déjà pas beaucoup ; à présent, on
se détestait. Le seul Noir de la maison communiste parisienne, le digne représentant des
"petits frères du tiers-monde", l'intellectuel
capital du "bureau de la section coloniale", est
devenu du jour au lendemain le traître capital.
C'était inévitable. J'étais l'excuse du PCF – un
parti paternaliste. Comme le gouvernement,
il faisait maintenant valoir que je n'étais pas

assez français à son goût. Mais il le disait avec plus de subtilité que le gouvernement. C'est alors que, en lecteur consciencieux, tu m'as fait la revue de la presse communiste. On y lisait : "Le marxisme de Césaire n'était pas solide." Ou encore : "Il est encore plus pénible de voir un ami jusque-là intellectuellement honnête manquer de loyauté, verser dans l'imposture en se drapant du manteau de pureté." On m'achevait. Pourquoi tant de haine ? "Ne fais pas le naïf, Aimé, le Parti est mis à nu, et dans pas bien longtemps, d'autres intellectuels claqueront la porte." Te souviens-tu de m'avoir dit ça, Alioune ?

– Parfaitement ! Les arguments du Parti ne trompent personne, m'a-t-il répliqué. Et il a poursuivi : Ou le Parti est soucieux de la dignité humaine, alors il ne peut cautionner les millions de suppliciés, torturés, exilés et autres résidents permanents des goulags révélés par le *Rapport Khrouchtchev*. Ou alors il s'en tient au mensonge d'État soviétique, et il est brûlé à terme. L'écrasement de la révolution hongroise par les chars soviétiques, au su et au vu de tout le monde, plaide pour ta démission. Pour les crimes de Staline, on pouvait arguer qu'on ne savait pas. Mais là, qui pourrait dire qu'il n'était pas témoin de ces événements ? Tu es le thermomètre qui révèle la fièvre. Nul n'est autorisé à le faire, le sais-tu ? Tu as été scandaleux. En retour, le Parti décrète ta mort : elle n'est pas seulement symbolique, tu verras. Aragon vient de notifier à sa rédaction l'interdiction de citer ton nom dans les colonnes des *Lettres françaises*. C'est une attention délicate, n'est-ce pas ?

– Ah, le petit marquis aux souliers rouges ! Ce sous-fifre s'illustre toujours comme un poète aux ordres. C'est pitoyable !

– Je sais, tu n'aimes pas sa poésie, mais c'est tout de même un grand bonhomme. Le Parti a besoin d'hommes comme lui.

– Dis donc, pour qui tu roules ?

– Pour la vérité, ami Aimé !

– Mais il n'y a pas de vérité au PCF !

– La vérité est partout, au PCF comme au MRP[4]. L'essentiel est de rester l'esprit ouvert, ce qui est ton cas.

– Alioune, tu es impayable ! Maintenant, que vais-je faire ?

– Si tu le permets, j'édite ta *Lettre à Maurice Thorez* et, dans la foulée, je réédite ton *Discours sur le colonialisme*. Cela attisera la haine du PCF ; pour les esprits libres, c'est l'occasion rêvée d'afficher la cohérence de ta démarche. Ensuite, il te faut créer de toute urgence un parti. Dans une semaine, convoque tes sympathisants pour une assemblée informelle. La liste des souscripteurs et amis de *Présence africaine* est un outil d'amorce non négligeable. Les éditions du Seuil nous épauleront,

4. Le Mouvement républicain populaire, parti démocrate-chrétien, fut fondé en 1944 par des catholiques sociaux, des syndicalistes chrétiens et leurs mouvements de jeunesse. L'abbé Pierre fut l'un de leurs plus célèbres députés.

Emmanuel Mounier, l'équipe d'*Esprit* et, je l'espère, les chrétiens de gauche. Il y a aussi le sous-sol de *Présence africaine*. À titre provisoire, installons-y les bureaux de ton futur parti. Il te faut une machine de propagande digne de ce nom. Il te faut des souscriptions. *L'Humanité* tirera sur toi à boulets rouges. Toute la presse stalinienne, tous ses organes te feront la guerre. Organise ta communication, crée le journal de ton parti. *Présence africaine* t'est acquise, tu le sais, *Le Nouvel Observateur* et la presse socialiste. C'est pas mal. Tu dois incessamment retourner à la base. La section martiniquaise du PCF à Fort-de-France va t'excommunier, comme vient de le faire le siège parisien. Les joyeusetés commencent !

Sur ces mots, le 19 novembre, je me suis envolé pour Fort-de-France.

La tension était palpable. J'ai retrouvé Pierre Aliker, Georges Gratiant, Aristide Maugée : ils m'attendaient, fébriles et heureux. D'un regard, j'ai mesuré que je survivrais au rouleau compresseur du PCF.

Dans la voiture qui nous ramenait de l'aéroport, nous avons décidé du jour de la réunion de fondation du nouveau parti.

– Et si on l'appelait le Parti progressiste martiniquais, en abrégé PPM ? ai-je proposé.

– Ça fait *police politique et militaire*, tu ne trouves pas ? a plaisanté Pierre Aliker.

On a ri, signe que le nom était adopté en dépit du doux persiflage de mon adjoint. À dire vrai, j'avais la meilleure équipe du monde. Elle m'a suivi comme un seul homme.

L'heure est venue, je dois rassurer les frères.

Je monte à la tribune, les visages et les corps sont suspendus à mes paroles.

"Mes frères, mes compatriotes, camarades des bons et mauvais jours, c'est pour nous, d'une certaine façon, que Nikita Khrouchtchev, le camarade secrétaire général du Parti communiste soviétique a écrit son *Rapport* sur les crimes de son prédécesseur, le président Staline.

Mes frères, mes sœurs, depuis quand tue-t-on des gens parce qu'ils ont osé avoir une opinion différente de celle d'un autre homme, fût-il le président d'une démocratie dite populaire ? Depuis quand décrète-t-on que des gens seront internés dans les hôpitaux psychiatriques pour avoir eu un avis, ou condamnés à vingt ans de réclusion criminelle dans le froid sibérien, ou pendus et jetés dans des fosses communes, ou mutilés ou suppliciés ou réduits au silence ? Et cela par dizaines de millions. Vous avez bien entendu : par dizaines de millions. Le génocide du peuple pour le bien du peuple, tel serait le credo du bonheur communiste ? Que vaut un État qui commet de tels crimes ? Que vaut un État qui n'est que crime ? Vous, petits-enfants d'esclaves, cela ne vous dit-il rien ? Comment exécutait-on nos ancêtres ? De quel argument fallacieux n'usait-on pas pour assouvir des instincts criminels à leur égard ? Et c'est moi qui détesterais le peuple en démissionnant d'un parti qui ne dénonce pas de tels méfaits ? Et c'est moi qui serais petit-bourgeois parce que je revendique le droit d'opinion pour tous ? Et je serais un affreux déviant, un dangereux corrupteur du peuple parce que j'exige qu'on se préoccupe de son bien-être ? Je n'ai jamais été rentier, je ne dispose pas d'un sou vaillant pour ma gouverne, mais je revendiquerai toujours le meilleur pour mon peuple, et ce meilleur-là c'est d'abord le respect de son intégrité physique et morale...

Chers compatriotes, l'heure de nous-mêmes a sonné ! Je crois au progrès social, je travaillerai pour qu'il advienne. Aucun parti ne peut s'arroger le droit d'en décider, il nous appartient de le faire, nous, enfants du peuple ! Je suis des vôtres, je suis votre frère dans l'espérance !"

Tandis que les vivats montaient en vagues successives pour saluer ma harangue, j'ai vu que je me mettais en colère, pour de bon. Non, on ne peut tolérer l'injustice.

10

À Fort-de-France, ils ont tous défilé – du général de Gaulle à Nicolas Sarkozy. C'était pour m'humilier. J'ai été maire pendant cinquante ans. J'en ai connu, des visiteurs, mais seuls deux m'ont épargné la honte : le président Léopold Sédar Senghor et le président François Mitterrand.

Quant aux autres, les départements d'outre-mer n'étaient pour eux qu'une réserve de voix. Les présidentielles passées, ils se vengeaient en les oubliant. Que pouvaient-ils faire d'autre ? Ils leur promettaient la lune.

En 1964, je reçois le général de Gaulle. Dans son discours, il esquive notre revendication d'autonomie, mais il promet de faire quelque chose. Ce "quelque chose" me suffit. C'est un héros, lui, il tiendra parole – forcément. Je l'ai cru, comme tous ceux qui sont venus après lui. Le général est réélu, mais il ne change rien au blocage gouvernemental envers la Martinique. Trois ans plus tard, au Canada, il dit du haut d'un balcon : "Vive le Québec libre !"

Je t'ai appelé, Alioune, comme d'habitude.

– Tu as vu ça ? Ce général, quel bonimenteur ! Ce qu'il nous refuse, nous, un département français, il le promet aux sujets de la reine d'Angleterre. Ces paroles n'ont aucune valeur, c'est juste pour emmerder Churchill, son vieil ami. Il rit de tout, celui-là, même de l'émancipation des peuples opprimés.

Mais l'affront le plus cuisant de ma vie, c'est avec le président Valéry Giscard d'Estaing que je le vivrai. Il avait débarqué sur nos terres, mais avait refusé de rencontrer les Martiniquais. C'est la première fois que j'ai eu envie de m'introduire dans la tête d'un tiers pour scruter ses pensées. Le geste présidentiel était énorme. Nous l'avons attendu place de la mairie – et dans la mairie même, devenue une cellule de veille –, dans toutes les rues de Fort-de-France, en vain. Je l'ai appelé, je l'ai supplié de nous rejoindre. Il n'a pas bronché. La ferveur carnavalesque des Foyalais lui faisait peur. Je lui ai dit : "Pour de Gaulle, ce fut pareil, il en a gardé un merveilleux souvenir !" M. Giscard est resté inflexible. De la résidence du préfet (qui est à deux pas de l'hôtel de ville), il est allé directement à l'aéroport. Sa dérobade m'a sonné ! Comme dans un cauchemar, j'avais l'impression de contempler un avion qui, ses pneus ayant à peine effleuré la piste d'atterrissage, remettrait les gaz pour s'en arracher. Son acte était incompréhensible. Ou, plutôt, c'était un gâchis monumental. Si seulement il n'avait pas paniqué. Les Martiniquais fondaient sur lui de grands espoirs, ils le regardaient comme un éminent innovateur de la

Vᵉ République. À partir de cet instant, j'ai su qu'il perdrait les élections.

Au lendemain de la défaite de Giscard, François Mitterrand, le vainqueur de mai 1981, ordonnera que les radios et télévisions françaises m'ouvrent leurs antennes. Elles s'exécuteront en temps et en heure.
Je sortais de trente ans de boycott médiatique.

EUX AUSSI,
ILS ONT DIT NON

Nous sommes tous exposés à l'humiliation. Un mot, un comportement ou un acte nous blesse sans façon. Il n'est pas nécessaire d'être un écorché vif. Nous vivons comme sur un piédestal d'où, à tout moment, un événement peut nous faire dégringoler. Nous venons de la terre ; notre peur excessive d'y mordre de nouveau le justifie. "Humilier" vient en effet du latin *humus* (la terre). Il n'y a rien d'offensant à être de l'*humus*. Le verbe qui en dérive souligne tout le contraire mais, dans certaines circonstances, c'est aussi le tremplin de grandes actions.

L'adolescent Aimé Césaire arrive au lycée Victor-Schoelcher sans la conscience des luttes qui s'y exercent. Ce lycée forme l'élite martiniquaise. Il est en majorité composé de Blancs et de métis. Aimé Césaire y sera profondément humilié mais il y puisera sa rage créatrice. Le 20 avril 2008, plus de quatre-vingts années plus tard, Césaire aura des obsèques nationales. Les préfets, les ministres et les présidents de la République seront là pour lui rendre un dernier hommage. La foule l'acclamera en arborant des fleurs, des banderoles, des pancartes. C'est à la nuit tombée que sa dépouille arrivera au cimetière La Joyaux, près de Fort-de-France. Sur sa pierre tombale sera gravé un fragment de son recueil de poèmes intitulé *Moi laminaire* :

"j'habite une blessure sacrée / j'habite des ancêtres imaginaires / j'habite un vouloir obscur / j'habite un long silence / j'habite une soif irrémédiable".

Ainsi repose le grand humaniste qui s'est battu toute sa vie pour que le gouvernement reconnaisse les Martiniquais comme des Français à part entière.

Le 6 avril 2011, le président Sarkozy a dévoilé une plaque portant le nom de Césaire au Panthéon, le tombeau des "Grands Hommes". La France fait amende honorable.

Son dauphin et héritier, Serge Letchimy, qui lui a succédé à la mairie de Fort-de-France et au conseil général de la Martinique, s'est retrouvé lui aussi en butte au même mépris. Le 7 février 2012, il s'est élevé contre le ministre de l'Intérieur Claude Guéant, qui avait déclaré que certaines civilisations valent moins que d'autres : "Vous, monsieur Guéant, vous privilégiez l'ombre. Vous nous ramenez jour après jour à ces idéologies européennes qui ont donné naissance aux camps de concentration au bout d'un long chapelet esclavagiste et colonial. Le régime nazi si soucieux de civilisation était-il une civilisation ?" Les députés UMP ont vidé l'hémicycle de l'Assemblée nationale en signe de protestation. Pareil incident n'était pas arrivé depuis l'affaire Dreyfus, en 1898.

L'ESCLAVAGE, UNE HUMILIATION CAPITALE

L'esclavage fait partie intégrante de notre histoire. *Le Code noir* – qui, par ce titre, souligne que les Africains sont condamnés à devenir des esclaves parce qu'ils sont noirs – définissait, dans son article premier, l'esclave comme un "bien meuble". En ancien français, est dit "terre meuble" un sol qui se prête aux labours. C'est aussi son sens juridique. Les juristes de Louis XIV élaborent après coup un ensemble cohérent de lois pour justifier la traite négrière, qui est la plus vaste et la plus grande déportation de peuples que le monde ait jamais connue. Les Africains assumeront désormais le travail de la terre dans les colonies. Au XVIIIe siècle, sur l'île de Saint-Domingue – la future Haïti – un homme brisera la malédiction de l'esclavage. Il s'appelle Toussaint Louverture et occupe la première place au sein des idées de Césaire. "TOUSSAINT, TOUSSAINT LOUVERTURE, c'est un homme qui fascine l'épervier blanc de la mort blanche", dit de lui le poète. "La mort blanche" est l'allusion à l'emprisonnement de Toussaint Louverture dans les paysages enneigés du Jura, au fort de Joux où il mourra en 1803. La république sera proclamée l'année suivante en Haïti. Toussaint Louverture est le premier général noir de l'histoire occidentale à vaincre les troupes royales espagnoles, anglaises et françaises. Le surnom "l'ouverture" est devenu le nom de François Toussaint à cause des "ouvertures" victorieuses qu'il pratiquait dans les rangs ennemis. Il fait partie de ces "gens de couleur libres" ayant acquis leur affranchissement en 1776, c'est-à-dire trois quarts de siècle avant le décret d'abolition de l'esclavage de 1848[1].

En dépit de la distance historique, Toussaint Louverture a permis l'accession de Barack Obama à la tête des États-Unis. Une accession qui symbolise la dignité enfin retrouvée des peuples noirs et africains. Sur la terre haïtienne, "la négritude s'est mise debout pour la première fois", écrira Césaire.

LES PÈRES FONDATEURS DE LA NÉGRITUDE

Au départ, la négritude est un mouvement littéraire. Son expression politique est des plus délicates car elle reviendrait à instaurer le pouvoir d'une race, ce qui est extrêmement dangereux. Voilà comment la définissait Césaire : "Par ces temps de racisme, la négritude était tout simplement une affirmation. C'est l'affirmation du fait que le Noir était un Noir, nous l'acceptons [...], la reconnaissance d'un certain passé et c'était en même temps une éthique, une manière de dire que c'est de ce passé que devait sortir [...] l'avenir du groupe humain

---

1. Cf. Gérard Dhôtel, *Victor Schoelcher : "Non à l'esclavage"*, roman, Actes Sud Junior, coll. "Ceux qui ont dit non", 2008, 2015.

auquel nous appartenons. [...] Comme le mot « nègre »
nous était jeté comme une injure, nous l'avons ramassé
et nous en avons fait une parure."

La négritude a eu trois pères fondateurs. Hormis Césaire
lui-même, il faut citer le Guyanais Léon Gontran Damas
(1912-1978). Il fut le secrétaire de rédaction du journal
L'Étudiant noir ; il fut aussi le lecteur et le correcteur de ses
deux amis. Il a assumé comme ses acolytes une courte
carrière de député au Palais-Bourbon, mais la politique
l'ennuyait profondément. C'est en tant que professeur
de littérature à l'université Howard, près de Washington,
qu'il refera sa vie. Il y mourra d'une leucémie foudroyante
le 22 janvier 1978. L'autre pilier du combat de la négritude
est Léopold Sédar Senghor (1906-2001), qui fut président
de la République sénégalaise. Il se qualifiait lui-même de
"poète-président" et tenait beaucoup à ce trait d'union.
Comme Césaire, c'est un politique atypique. En 1976, c'est
auréolé de sa charge de président du Sénégal qu'il rend
visite à son vieil ami du lycée Louis-le-Grand et de l'aven-
ture de la négritude à Paris dans les années 1930. Senghor
est accompagné par sa troupe de théâtre. Sa mission : donner
à voir à Césaire sur la terre foyalaise sa pièce *La Tragédie
du roi Christophe*. Elle a été jouée au théâtre de l'Odéon
en 1955 et partout dans le monde sauf en Martinique. La
démission de Césaire du PCF en 1956 a rendu son auteur
persona non grata dans les médias gouvernementaux. Le
préfet et le gouverneur de la Martinique ne veulent pas de

La Tragédie du roi Christophe à Fort-de-France. C'est ce blocage que vient briser Senghor par sa visite qui frôle l'incident diplomatique. Le préfet avait d'abord refusé le visa d'entrée aux membres de la troupe sénégalaise. Hormis la joie de faire jouer la plus célèbre des pièces de Césaire, Senghor donnera une conférence sur la négritude à la mairie de Fort-de-France. "C'était pour le principe", dira-t-il plus tard.

D'autres lieux, d'autres époques voient des hommes et des femmes emprunter le chemin de Césaire : lutter par la littérature contre ce qui humilie son peuple. Ainsi en est-il de Arundhati Roy. Cette fille d'une chrétienne du Kerala et d'un hindou bengali, née en 1961 à Shillong en Inde, est un phénomène unique en son genre. Avant de devenir l'écrivain mondialement célèbre grâce au roman *Le Dieu des petits riens* (Booker Prize 1997, l'équivalent britannique du Goncourt français), Arundhati Roy a exercé des petits boulots : vendeuse de canettes de bière vides, cordonnière, etc. Cette vie de bohème ne l'empêchera pas de faire des études d'architecture, de devenir actrice, d'écrire des scénarios de cinéma...
Elle a mis sa célébrité au service des pauvres : les femmes brûlées par leur mari, les castes exclues de l'expression démocratique en Inde, les démunis, les laissés-pour-compte. Elle lutte contre la libéralisation meurtrière de l'Inde, qui vend ses routes, ses eaux, son

électricité, ses terres, ses paysans aux multinationales. Elle attaque aussi bien la Banque mondiale, le Fonds monétaire international (FMI) que les nationalistes hindous et tous les groupuscules ultraviolents. Elle campe avec les uns, marche avec les autres. La démocratie, la littérature et la dignité ne font qu'un à ses yeux. Elle représente l'exemple unique où la littérature joue le rôle de supplément d'âme pour les luttes sociales. C'est la digne héritière de Senghor et de Césaire, même si elle n'a jamais brigué un mandat électif. C'est une femme qui relève la tête.

Mais il n'est pas besoin de regarder aussi loin pour découvrir la trace de l'humiliation et de ceux qui la combattent. En France, les établissements scolaires sont souvent le lieu d'intimidation, de brimade, de harcèlement. Remarques racistes, sexistes, ou moqueries contre celui ou celle qui est différent, ne vit pas comme les autres, ne s'habille pas comme les autres, ne pense pas comme les autres... Aujourd'hui, de plus en plus nombreux sont ceux qui osent prendre la parole et protester contre toute forme de harcèlement. On ne supprimera peut-être jamais les humiliations, mais il est indispensable d'aider ceux qui les subissent à les surmonter. Ne laissons pas passer des mots ou des gestes qui humilient notre prochain. C'est une lutte de tous les jours. Elle commence à notre porte, dans nos rues, dans nos collèges.

POUR ALLER PLUS LOIN

À lire :

Théâtre
• Aimé Césaire, *Et les chiens se taisaient* (Présence africaine, coll. "Poche", 1997).

• Aimé Césaire, *La Tragédie du roi Christophe* (Présence africaine, coll. "Poche", 1970).

• Aimé Césaire, *Une tempête* (Seuil, coll. "Points", 1997).

• Aimé Césaire, *Une saison au Congo* (Seuil, coll. "Points", 2001).

Poésie
• Aimé Césaire, *Cahier d'un retour au pays natal* (Présence africaine, coll. "Poche", 1971).

• Aimé Césaire, *Moi laminaire*, dans *Anthologie poétique* (Imprimerie nationale, coll. "La Salamandre", 1996).

Anthologie
• *Cent poèmes d'Aimé Césaire*, par Daniel Maximin (Omnibus, 2009).

Entretiens
• Aimé Césaire, *Nègre je suis, nègre je resterai : entretiens avec Françoise Vergès* (Albin Michel, coll. "Itinéraires du savoir", 2011).

Monographie
• David Alliot, *Aimé Césaire, le nègre universel* (Infolio, coll. "Illico", 2008).

À voir :

• Euzhan Palcy, *Aimé Césaire, une voix pour le XXIe siècle*. Coffret de trois films documentaires : *L'Île veilleuse, Au rendez-vous de la conquête* et *La Force de regarder demain*, Cinémathèque Afrique (Institut français), 2006.

• Laurent Chevallier et Laurent Hasse, *Aimé Césaire, un nègre fondamental*, France 5, coll. "Empreintes", 2007, film documentaire.

CHRONOLOGIE

- **26 juin 1913** : Naissance d'Aimé Césaire à Basse-Pointe, en Martinique.

- **1924** : Obtient une bourse pour le lycée Schoelcher à Fort-de-France.

- **1932** : S'inscrit au lycée Louis-le-Grand à Paris.

- **1934** : Fonde *L'Étudiant noir* avec Damas et Senghor. Première apparition du mot "négritude".

- **1935** : Réussit le concours de l'ENS de la rue d'Ulm.

- **1939** : Première version du *Cahier d'un retour au pays natal* dans la revue *Volontés*.

- **1941** : Fonde avec Suzanne Roussy, René Ménil et Georges Gratiant la revue *Tropiques*.

- **1945** : Est élu maire de Fort-de-France et député de la Martinique.

- **1946** : Est le rapporteur de la loi de "départementalisation".

- **1950** : Publication du *Discours sur le colonialisme*.

- **1956** : Participe au premier Congrès des écrivains et artistes noirs à Paris. Démissionne du Parti communiste.

- **1963** : Publication de *La Tragédie du roi Christophe* (théâtre).

- **1966** : Participe au premier Festival des arts nègres à Dakar. Mort de Suzanne Roussy, sa femme.

- **1976** : Visite de L. S. Senghor, président de la République du Sénégal, en Martinique.

- **2001** : Renonce à son mandat de maire de Fort-de-France.

- **2008, 17 avril** : Décès au CHU de Fort-de-France pour "insuffisance cardiaque".

- **2011, 6 avril** : À Paris, une plaque est posée en son nom dans la crypte du Panthéon, le tombeau des "Grands Hommes" français.

L'AUTEUR

Écrire en homme debout, écrire contre le mépris des dominants, tel est le chemin continu de Nimrod comme romancier, poète ou philosophe né au Tchad. Son œuvre et son cœur sont placés sous la double caution de Senghor et de Césaire dont il nous dresse ici un portrait aimant.

DU MÊME AUTEUR

• *Pierre, Poussière*, poèmes,
(Obsidiane, 1989).

• *Passage à l'infini*, poèmes,
(Obsidiane, 1999, 2009).

• *Les Jambes d'Alice*, roman,
(Actes Sud, 2001 et Babel n°864, 2008).

• *Tombeau de Léopold Sédar Senghor*, essai,
(Le Temps qu'il fait, 2003).

• *En saison, suivi de Pierre, Poussière*, poèmes,
(Obsidiane, 2004).

• *Le Départ*, récit, (Actes Sud, 2005).

• *Léopold Sédar Senghor*, essai cosigné avec Armand
Guibert, (Seghers, coll. "Poètes d'aujourd'hui", 2006).

• *Le Bal des princes*, roman,
(Actes Sud, 2008).

• *La Nouvelle Chose française*, essais,
(Actes Sud, 2008).

• *L'Or des rivières*, récits,
(Actes Sud, 2010).

• *Babel, Babylone*, poèmes,
(Obsidiane, 2010).

• *Non à l'individualisme*, ouvrage collectif,
(Actes Sud junior, coll. "Ceux qui ont dit non", 2011).

• *Non à l'indifférence*, ouvrage collectif,
(Actes Sud junior, coll. "Ceux qui ont dit non", 2013).

• *Un balcon sur l'Algérois*, roman,
(Actes Sud, 2013).

• *Visite à Aimé Césaire*, essai,
(Obsidiane, 2013).

• *Léon-Gontran Damas, le poète jazzy*, biographie pour
adolescents, (Les éditions À dos d'Âne, 2014).

• *Rosa Parks : "Non à la discrimination raciale"*, roman,
(Actes Sud Junior, coll. "Ceux qui ont dit non", 2008,
2014).

• *Non à l'intolérance*, ouvrage collectif
(Actes Sud junior, coll. "Ceux qui ont dit non", 2015).

• *Sur les berges du Chari, district nord de la beauté*,
poèmes (Éd. Bruno Doucey, coll. "L'autre langue",
2016).

• *L'enfant n'est pas mort*, roman, (Éd. Bruno Doucey,
coll. "Sur le fil", 2017).

• *J'aurais un royaume en bois flottés*, anthologie
personnelle 1989-2016 (Préface de Bruno Doucey,
Poésie/Gallimard, 2017).

• *120 nuances d'Afrique*, anthologie établie avec Bruno Doucey et Christian Poslaniec (Éd. Bruno Doucey, 2017).

• *Gens de brume*, récit (Actes Sud, coll. "Essences", 2017).

DERNIERS PARUS DANS LA MÊME COLLECTION

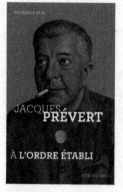

Jacques Prévert : "Non à l'ordre établi"
Murielle Szac

Qui n'a pas appris à l'école un poème
de Jacques Prévert ? Si tous les enfants
connaissent la *Chanson des escargots qui
vont à l'enterrement* (d'une feuille morte),
celle du bonhomme de neige qui galope
dans la nuit de l'hiver ou bien celle
du cancre qui s'évade de la salle de classe
en rêvant avec l'oiseau-lyre, qui connaît
le vrai visage du poète ? Celui d'un homme
qui fut toute sa vie un révolté, insoumis
à toute forme de règles. Un pur anar,
viscéralement antimilitariste, anticlérical
et anticonformiste.

Angela Davis : "Non à l'oppression"
Elsa Solal

Elle est le symbole mondial de la révolte
des Noirs, des femmes et de tous les
opprimés, mais lui l'ignore. Lui, qui est-il ?
Un jeune réfugié qu'Angela Davis a
rencontré à Calais, à qui elle va raconter
sa vie. Elle ne sait rien de lui, mais il va
tout savoir d'elle, au fil de lettres qu'elle lui
adresse, comme autant de mains tendues.
Son enfance dans la violence raciste,
son engagement militant aux côtés
de tous les exclus, la traque dont elle a été
victime, accusée d'un meurtre qu'elle n'a
pas commis, l'humiliation de la prison, son
procès et l'indignation internationale qui
la consacre leader des révoltés... Elsa Solal
emboîte avec passion chaque morceau
du puzzle de cette vie militante pour faire
découvrir cette grande figure insoumise.

Harvey Milk :
"Non à l'homophobie"
(nouvelle édition)
Safia Amor

Gabriel Mouesca :
"Non à la violence carcérale"
Caroline Glorion

Rosa Parks :
"Non à la discrimination raciale"
(nouvelle édition)
Nimrod

Leonard Peltier :
"Non au massacre
du peuple indien"
(nouvelle édition)
Elsa Solal

Anna Politkovskaïa :
"Non à la peur"
(nouvelle édition)
Dominique Conil

Victor Schoelcher :
"Non à l'esclavage"
(nouvelle édition)
Gérard Dhôtel

Sophie Scholl :
"Non à la lâcheté"
(nouvelle édition)
Jean-Claude Mourlevat

Simone Veil :
"Non aux avortements
clandestins"
(nouvelle édition)
Maria Poblete

Joseph Wresinski :
"Non à la misère"
(nouvelle édition)
Caroline Glorion

Émile Zola :
"Non à l'erreur judiciaire"
(nouvelle édition)
Murielle Szac

Non à l'indifférence (nouvelles)
Gérard Dhôtel, Jessie Magana,
Nimrod, Maria Poblete, Elsa Solal,
Murielle Szac

Non à l'individualisme (nouvelles)
Gérard Dhôtel, Bruno Doucey,
Nimrod, Maria Poblete, Elsa Solal,
Murielle Szac

Non à l'intolérance (nouvelles)
Gérard Dhôtel, Bruno Doucey,
Nimrod, Maria Poblete, Elsa Solal,
Murielle Szac

Reproduit et achevé d'imprimer en novembre 2019 par l'imprimerie
Normandie Roto Impression s.a.s. à Lonrai pour le compte des éditions
ACTES SUD, Le Méjan, Place Nina-Berberova, 13200 Arles.

Dépôt légal - 1re édition : janvier 2015 - N° d'impression : 1905448
(Imprimé en France)